# 나이테의 무게

b판시선 50

김영언 시집

# 나이테의 무게

도서출판 b

| 시인의 말 |

말이 단지 말을 위한 말을 낳고
그 말이 다시 말을 구속하는 세월이
쉽사리는 극복되지 않을 것 같다.
말이란 무엇인가? 진정 말이란 무엇이어야 하는가?
진부한 물음으로 버티어 온 세월의 흔적들을 쌓아 올려
투박하지만 세 번째 탑을 세워본다.

순례 행렬처럼 날아오는 뭇 기러기들이 떨구는
비원같이 애달픈 노을빛 울음을 넉넉하게 껴안으며
크고 깊은 품으로 묵언 수행에 잠겼던 마니산이
동안거를 풀고 더욱 그윽해진 빛을 발하는 계절이다.

지나가지 않는 것이 어디 있겠으랴마는
지나가도 잊히지 않는 것이 있다면
굳이 그것을 새겨보려 했다.

2022년 봄날, 김영언

## | 차 례 |

제2부 다이옥신 피어오르는 봄날

## 제3부 선언

제4부 베개를 베고 누운 교복

제1부

# 나이테의 무게

# 관솔에 대하여

한여름 매서운 태풍 지나간 자리
뒷산 둥치 우람한 소나무 한 그루
다래 덩굴 온몸에 휘감은 채 누워 있다

바람의 앙탈도
덩굴의 아양도
넉넉하게 다 받아 안고 지탱하던 삶이
저렇게 버겁게 뿌리를 드러내고 말았구나

다만
품 안 가득 고단한 세상사를 인내하던
뼛속 깊이 새기고 새겨온 마음의 결기만은
끝내 포기하지 못하고
속살 깊이 단단한 관솔로 응결되었구나

# 가을 통신

별들의 잠을 깨우고
하늘이 다 눈을 뜰 때까지
밤새 그칠 줄 모르던
풀벌레 울음소리가
아침이 되었습니다

풀잎들의 눈가가
촉촉하게 젖어있었습니다

누군가를
그렇게 부르고 싶은
가을날이었습니다

# 홍시

마당가 감나무
새들이 쪼아먹어 버린
홍시를 바라보다가
그들의 약탈을 비난하다가

문득
감나무 위에 올라가 있는
위태로운 유년을 바라본다
옆집 높은 가지에 몰래 매달려
미처 다 익지도 않은 홍시를 탐하던 시절이
떫은맛으로 울컥 삼켜진다

궁핍처럼
주렁주렁 익어가던 참회의 명분을
몰래 쪼아먹어 버린 새 떼들이
홍시보다 더 붉게 익은 유년의 노을 속으로
무연히 날아가 버린 가을날

# 낙타

팍팍한 행인들의 발길을
사막 밖으로 건져내기 위해
우직하게 사막을 건너는 낙타

사막의 징검다리가 되어
사막을 건너는 발길들의 꽃받침이 되어

한평생을 건네주고도
스스로는 다 건너지 못하고

모래 언덕에 비스듬히 누워
흰 뼈를 드러낸 채 시들다가
끝내 사막이 되어버린 낙타

# 단풍 질 때

늦가을 비가 추적추적 내리자
먼 산 단풍이 물 빠지듯 흘러내리는 소리
마음을 무채색으로 물들이며 어둠 속에 고인다

그대가 내게서 져 내릴 때도
정작 떨궈버리지 못한 것은
목숨처럼 매달려 있겠다던 오기였다고 푸념하던
그것을 사랑이라고 믿고 싶었던
먼 젊음의 한때가 있었다

이 세상 마지막 단풍처럼 물들겠다고
그렇게 비장하게 지고 싶다고
찬비를 맞으며 바람 속을 걷던
그 먼 시절이 속절없이 져 내리는 날이다

# 나이테의 무게

어느 겨울 산등성이 비탈에서
가파른 생을 버텨내던 밑둥치
통째로 싹둑 잘린 채
트럭에 실려 온 나무들

화목을 자르다가
수십 년 혹한을 인내한
둥글고 단단한
나이테의 무게를 어루만진다

아궁이 속에서
한 겹 한 겹 해체될 때마다
다색 연기로 피어오르는
나이테의 사연을 경청한다

속세의 가파른 자락에서
온몸 구석구석 두르고 섰는
아직도 단단하게 결구되지 못한

내 나이테의 무게를 꾸벅거린다

# 수숫대는 바람에 날리고

이삭 잘린 수숫대들
바람을 맞으며 빈들에 서 있다

영혼을 잃어버린 육체들이
바람이 되어 쓰러지는 계절

영혼을 잃어버리고서도
몸을 지탱하는 일이
긴 겨울을 혹독하게 건너는
빈 들판의 그림자처럼 버겁다

때로는 영혼을 잃어버린 듯
오로지 몸만을 지탱하는 일에
묵묵히 서 있어야 하는 법도 있다
설 수 없어도 서 있어야 하는 때가 있다

# 들길에서

때론 외로움을 만나고 싶어
종종 걷곤 하는 들길

지나갈 때마다
외로운 것들이 한 가지씩 손을 내밀어
외로움을 함께 한다

저녁놀 저녁섬 저녁산 저녁새 저녁달
저녁의 모든 것들은 그림자다

나를 닮은 표정들이 기다리는
외로운 것들의 정원
들길에서

# 지나온 길

앞만 바라보고
계곡 길을 오르다
문득 뒤돌아보니
지나온 길
아름답게 단풍 물들어 있다

다시 돌아가진 못해도
그립다

앞보다 뒤가
더 아름다울 때도 있다

## 나의 인천 상륙 작전

이따금 대꼬작에 황톳빛 돛을 매단 배가 느리게 떠가고 무인도 풀치보다도 큰 외항선이 굴굴굴굴 연기를 뿜으며 물살도 드센 먹퉁이 골시를 지나 알 수 없는 나라로 신기루처럼 사라져가면 커서 꼭 선장이 되겠다고 고무신배를 웅덩이에 띄우며 가물거리는 수평선 너머 먼 어디쯤에 있을 거라는 육지를 향해 아이들의 꿈은 날마다 물살을 거슬러 끝나지 않는 바다를 헤엄쳤다.

물거리나 등걸을 한 짐씩 해서 지게에 지고 겨우내 멧갓 비탈을 숨 가쁘게 오르내리다가 울타리 아래 숨어 주운 담배꽁초를 돌려 빨며 연신 침을 뱉어대던 동네 형들이 대나무 굴바구니와 쥐를 들고 썰물을 따라 갯티에 나가 따개비처럼 쪼그려 앉아 한숨을 섞어 굴딱지를 쪼아대던 누이들이 국민학교를 졸업하자마자 돈 벌러 간다고 하나 둘 도망치듯 떠났다가 명절이 되면 말끔한 옷차림을 하고 뽀얗게 변한 얼굴로 나타나 껌과 함께 이따금 어색한 육지 말투를 섞어 씹다가 뱉어댈 때마다

나도 언젠가는 갈 수 있겠지 갈 수 있겠지.

한 번도 밟아보지 못한 육지를 애타도록 그리다가 운

좋게도 헌신적인 부모님 덕에 섬에 없는 중학교 진학을 위해 여객선 은하호를 타고 하인천 부두에 처음 상륙하던 날 명절날에만 잠깐 신고 고이 아끼고 아껴두었던 한 번도 직접 본 적이 없는 기차가 그려져 있는 검정색 헝겊 운동화를 출정하는 소년병처럼 비장하게 차려 신고 어느 제국 시대를 충실하게 견딘 조부의 방침에 따라 윤기 나도록 산뜻하게 깎은 빡빡머리를 과감하게 들이밀었다.

시간이 날 때마다 송림동 현대극장 앞 깡마당 도롯가에 나가 앉아 자전거 오토바이 삼륜차 택시 트럭 버스 …… 교과서에서 그림으로만 보았던 자동차들을 구경하는 것만으로도 올려다보면 볼수록 높게만 보이던 빌딩들을 구경하는 것만으로도 일단 나의 인천 상륙 작전은 성공한 것처럼 뿌듯했다.

친구 치타와 함께 나무줄기에 매달려 포효하는 밀림의 왕자 타잔과 발바닥에서 불을 뿜으며 공중을 종횡무진 날아 악당을 물리치는 우주 소년 아톰이나 거구의 외국 선수를 통쾌하게 박치기로 제압하는 김일 선수를 난생처음으로 만나게 해준 흑백의 요술 상자 테레비 앞에 종일을 박제

되어 있어도 시간을 잊은 것처럼 마냥 신기하기만 했다.

빈 주머니에 손을 넣은 채 빙글빙글 돌아가는 놀이기구들을 그저 구경하고 섰는 것만으로도 시위라도 하듯 구구거리며 광장에 내려앉아 다투듯 먹이를 쪼아대는 무수한 비둘기 떼들을 발치께에서 바라보는 것만으로도 상륙 작전의 영웅이라는 맥아더 장군 동상이 한 손에 망원경을 들고 이 세상에서 가장 큰 거인처럼 우뚝 서 있는 모습을 눈부시게 올려다보는 것만으로도 그처럼 인천의 상징 자유공원을 하릴없이 어슬렁거리는 것만으로도 육지에서의 휴일 한나절은 너무 짧은 듯했다.

그러나 보이지 않던 것들을 보기 시작하고 몰랐던 것들을 알게 되면서부터 자동차도 테레비도 모든 것들이 점차로 시들해지고 새로운 주둔지에 안착하는 일이 그리 호락호락하지만은 않다는 것도 알게 되었다.

문득 까닭 모를 외로움 같은 것이 밀물처럼 밀려올 때마다 화교학교가 내려다보이는 공원 언덕길 위 팔각정에 올라가 팔미도 너머 가물가물 떠 있는 섬들을 물끄러미 바라보곤 했다.

수십 년 동안이나 한 자리에 서 있는 외국인 장군은 감격에 겨운 듯 언제까지라도 여전히 그대로 버티고 있을 기세였지만 나는 결코 오래도록 이곳에 서 있지는 못할 것 같았다.

처음 타보는 버스는 내 머리를 멀미로 흔들어 놓았고 연탄가스를 마신 날은 자취방 문고리를 붙잡은 채 아뜩하게 비틀거렸으며 두레박으로 퍼 올려 마음껏 마셔도 마르지 않던 청량한 우물물과 달리 메스껍게 톡톡 쏘는 소독약 냄새 풍기는 수돗물은 마시는 만큼 돈을 내야 한다는 이상한 소문 때문에 늘 목이 마른 듯했다.

송림동 수도국산 비탈에서 용현동 독쟁이고개로 주안으로 계산동 복개천변으로 전전하며 운명을 송두리째 걸다시피 한 상륙 작전을 감행한 덕분에 판자촌 월세 단칸방에서 연립주택 반지하 전세 독채를 거쳐 학수고대하던 청약 당첨이 되어 분양받은 꿈마을아파트에 정착했지만 테레비 화면을 윤택한 고화질 컬러로 바꾸고 전리품처럼 획득한 중형 자가용을 운전하며 휴일이면 마트와 유원지를 배회하며 여유를 찾아 헤맸지만 짠 내 배인 바닷바람 대신 칼칼한 사무실 에어컨 바람에 의지한 채 몇십 년간이나 같은 시간

같은 자리에서 같은 일을 되풀이해 왔건만 수평선 너머에서 무지개처럼 아른거리던 유년의 꿈을 끝내 다 찾아내지 못한 채 점령지는 서서히 유형지처럼 황폐해져 갔다.

어느덧 세월은 노을을 심상치 않게 자주 바라보는 때가 되었는데 얼마나 더 안락한 주둔지를 찾아 방황해야 하는지 아직도 진행 중인 미완의 상륙 작전은 지금도 유효한지 이제 다시 감행하려는 후퇴 작전은 그 뒤늦은 반역의 음모는 과연 성공할 수 있을는지 오래된 유년이 서성거리고 있는 저물녘 섬 기슭에는 아직도 대답 없는 물음이 진한 코피처럼 아롱지는 노을빛에 젖으며 찰싹찰싹거리고 있을 터인데…….

* 대꼬작: 돛대의 지역 방언.
* 갯티: 굴이나 조개 따위를 채취할 수 있는 썰물 난 바닷가를 일컫는 지역 방언.
* 쉐: 손에 들고 바위에 붙어 있는 굴을 찍어내어 따는 도구를 일컫는 지역 방언.

## 택배기사 부부

늦은 어둠 속으로 달려온
화물차 문이 화안하게 열리고
굳은살 코팅된 면장갑을 끼고 나타난
젊은 택배기사 부부

그들이 마주 들고 있는 것은
무거운 짐이 아니라
잠시 가쁜 숨을 고르는 사이마다
서로의 눈빛을 은밀하게 맞추며
가지런히 흰 이를 드러내고 건네주던
싱싱한 미소였네

그들의 걷어붙인 팔소매에
축축하게 배어 있는 것은
피로에 지친 땀이 아니라
말 없는 위로의 말을 건네며
서로의 이마를 훔쳐주며 적신
근육질 사랑이었네

그들이 배달한 것은
편리하게 구매한 일상이 아니라
남루해 보이는 어둠 속에서
오히려 더욱 밝게 달려온 별빛처럼
싱그럽고 건강하게 배송되어온
꾸밈없는 삶이었네

# 상수리 한 알

우람한 가지 끝 꼬투리를 박차고
숲속으로 뛰어내린 상수리 한 알
따가운 햇살과 비바람을 겹겹이 다져 넣고
야무지게 속 부풀려 영근 단단한 열매가
아늑한 둥지 밖으로 던져져
두리번두리번 풀숲으로 굴러간다

유년을 보듬어 키워준 바닷가 옛집을 떠나와
낯선 대도시 한가운데로 처음 던져졌을 때
빌딩 숲에서 길을 잃지 않으려고
인파에 휩쓸려 익사하지 않으려고
멀미약을 삼키고 으슥한 골목을 경계하며
쫓기듯 날마다 발길을 재촉했던 것처럼

그는 이제 홀로 막아내야 하리
이리저리 뒤를 쫓는 다람쥐를 따돌리고
한겨울 눈보라도 언 손으로 견뎌내야 하리
새봄 돌아와 비로소

새들 지저귀는 소리에 싹눈을 틔우고
그늘 속에 갇혀 시들지 않기 위해
뭇 발길에 밟혀 꺾이지 않기 위해
작은 키 크게 발돋움하며
미로 같은 정글을 헤쳐나가야 하리
마침내 높고 무성한 숲이 되어야 하리

# 정암사 단풍나무

가을 태백산 골짜기
정암사 돌담 옆 계곡 가
단풍나무 한 그루
등불처럼 서 있었네

물소리를 따라
속세로 내려가는 발길들마다
투명한 물빛 같은 빛을 적셔주며
화안하게 길 밝혀주고 있었네

소지공양燒指供養하듯
마디마디 빛을 떨구며
첩첩산중 같은 마음속
답답한 어둠을 씻어주고 있었네

# 거꾸로 걷기

벽을 타고 오르던
머루 덩굴 한 줄기
처마 밑에 위태롭게 매달려
허공으로 발길을 내딛고 있다

감히 한 번도
엄두조차 못 내고
정해진 궤도 위만 직립보행하고 있는
매일 매일의 순종을 향해
거꾸로 걷자고 잡아끄는 너의
저 무모한 패기와 대범한 반역

가슴이 뒤집히고
숨이 막힐 때까지
덩굴처럼 뻗어가는 설렘을 매달다가
반역하는 사랑의 습성을 미처 몰라
아파오는 무릎을 세우지 못하고
그저 현기증처럼 바라만 볼 뿐

# 단풍

단풍은 왜
남김없이 떨궈야 할
생의 마지막 능선을
저리도 아름답게 넘는지
오직 한순간 황홀을 위해
마지막 몸 매달기 위해
망설임도 없이
한 생을 다 토해
환장하게 치장하는지

우리도
두려움 없이
가장 아름다운 순간
마음을 내려놓을 수 있다면
지극한 사랑으로 타올라
눈부시게 생을 던지기 위해
오로지 이 길 걷는 것이라면
다음 생의 겨울 눈 깊어도

마냥 서러워도 좋겠네

# 절벽의 사랑

절영도絶影島에 가서 나는 보았네
그대는 아직도 옛날처럼
애절하게 철썩이고 있었네

애걸하듯 아무리 매달려도
손 한번 붙잡지 못하고
무너져 흘러내리고 있었네

수없이 가슴을 쳐도
안아주지 않는 당신 때문에
매번 부서져 주저앉고 있었네

물거품 같은 사랑을 위해
무모하게 목숨을 거는 그대를
차마 외면하지 못하고 바라보다가

내 생이 왜 아직도
산산이 부서지듯 줄곧 아픈지

뒤늦게나마 알게 되었다네

아직도 그대는 파도
지금도 당신은 절벽
알아도 모른 체 살아가려 했다네

# 얼음 폭포

인적 드문 계곡 끝에
이름도 지우고 얼어 있는 폭포

떨어지지 않는다고
흘러내리지 않는다고
너무 한탄하지 마라
긴 계절 살다 보면
저렇게 겨울이었던 때가
누구에게나 한 번쯤은 있지 않았으랴

혼신의 힘을 다해
온몸 꽝꽝 얼려가며
기다림을 부풀리고 있는 것은
절벽 아래 맑은 웅덩이 가에
물봉선화 한 송이 붉게 피어나듯
비로소 봄 같은 그대 찾아왔을 때
온몸 던져 뛰어내리려는 것이리

만약 내 먼저 흘러 가버리면
그대 홀로 쓸쓸하게 시들어가고
먼 길 홀로 외로움에 발길 가누지 못해
돌이킬 수 없는 슬픔의 멍울을
하릴없이 물거품처럼 피워 올리며
바다에 닿아 온몸 흩어져버릴 때까지
온통 한 생을 울면서 흘러가게 될까봐
목숨을 통째로 걸고
그대를 기다리고 있는 것이리

## 간이역의 사랑

그대 강물 소리로 발돋움하고 서서
누군가처럼 새벽 물안개를 기다리는
경춘선 어디쯤이었을지도 몰라
간이역 어디쯤이었을지도 몰라

어쩌면 긴 세월 동안 기차가 오지 않던
녹슨 철길 위였을지도 몰라
남루한 객차처럼 외발로 기우뚱거리던 어설픈 시절
수줍은 웃음과 미숙한 객기가 나란히 걸었던 밤길이었을지도 몰라
꿈결처럼 덜컹거리던 수인선 협궤열차의 발자국마다
아쉬움으로 녹슬어 멈춰 서 있을 청춘인지도 몰라

용주사 뒤뜰에 나란히 앉았던 어스름이
긴 세월을 걷어내지 못하고 밀려와 아슴푸레하게 깔리면
어색함을 놓고 손 한번 잡아볼 용기조차 없이
끊긴 막차처럼 놓쳐버린 젊음을 한숨 쉬고 있을지도 몰라

사랑이었는지도 모르고 마구 취하던
어쩌면 삼십 년 전쯤의 독한 취기가
미처 깨지도 않고 다시 피어올라
오지 않는 기차가 저렇게 흔들거리고 있는지도 몰라
한밤중 휘어져 깜빡이던 시그널을 환몽처럼 따라가다가
어디쯤 주저앉아 마음이 평생 비틀거릴지도 몰라

다시 오지 않을 기차를 기다리는 간이역에서
밤새도록 소심하게 떨던 강물 소리마저
그 시절처럼 시리게 물들어가는
지금은 늦가을 어디쯤일지도 몰라
몰라, 그대는

# 제2부

# 다이옥신 피어오르는 봄날

## 호박

남들처럼 드높이
공중에 매달리려는
위태로운 욕망을 내려놓고
땅 위를 낮고 평평하게 흐르더니
더 크고 둥글게 익혀 놓은
저 여유로움

# 내 주위를 가까이

공기 맑고 인적 드문 낯선 시골로
낭만적인 기분에 들떠 이사를 한 휴일 오후
구부정한 허리와 백발과 지팡이들 대여섯이
반가운 불청객으로 몰려왔다

금방 짜내어서 고소함이 들판을 휘감을 듯 끈끈한 들기름 한 병과
농약 안 주고 하우스 안에서 가족용으로 기른 고춧가루 한 봉지와
오래 두어도 단단하고 맛이 순하다는 토종 마늘 한 접과
텃밭에서 가꾼 꾸밈없는 빛깔의 청치마 상추 서너 포기와
속살이 호박처럼 정겹게 노랗다는 고구마 한 상자가
예고도 하지 않은 집들이를 예고도 없이 왔다

그들은 내 주를 가까이하라고 엄숙한 노래를 불러주고 돌아갔는데
나는 송구스럽게도 그들의 부탁을 다 들어주지는 못하고
다만 내 주위를 가까이하겠노라 기꺼운 다짐을 하였다

첨탑 위 십자가가 아담하게 걸려 있는 문산성결교회 언덕배기

촘촘한 머위 잎사귀 군락처럼 돋아난 야트막한 집들을 향해

아른아른 스며드는 그들의 뒷모습이 꽤나 애틋했다

# 장화리를 위한 변명

포클레인 한 대가
육중한 팔을 휘저으며
섬을 수술하고 있다

바다에 잠겨 있는
정강이 맨살을 벗겨내고
뼈 이식 접합을 하고 있다

최첨단 의술을 베풀듯
돌 조각들을 꿰맞추어
축대를 쌓아 올리고 있다

일회용 반창고처럼
섬의 무릎 위에
펜션 한 채 붙여놓았다

섬의 수액을 빨아올려
조각난 삶을 접합하려는

도시인들의 휴식을 눕히기 위해

* 장화리: 강화도 남단의 펜션이 밀집해 있는 해안가 마을.

# 다이옥신 피어오르는 봄날

대파 새순 통통하게 기지개 켜는 이른 봄날
대대로 농부의 아내로 살아온 문산댁 할머니
구부정한 허리 텃밭에 꽂고 농사 준비를 시작한다

지난해 두둑마다 덮었던 잡풀 방지용 비닐
한 아름 걷어 모아 밭 가운데 쌓아놓고
짙은 연기 쿨럭쿨럭 피워올리며 불태우고 있다

얼핏 그냥 지나치지 못하고
몇 마디 참견을 조심스레 건네 보았는데,
그거 태우면 몸에 안 좋은 물질 나온다는데
오염된 밭에서 기른 거 자식들이 먹으면 안 좋을 텐데

타고 남은 재를 한동안 말없이 이랑에 펴고 나서야
아직 덜 풀린 날씨처럼 싸늘하게 눈총을 쏘아대는데,
얼마나 많이 배웠길래 아는 게 그리 많으시까?
수십 년 동안 이렇게 했어도 아무 일 없는데
뭐든 타면 다 없어지고 재가 거름 되는 건데

나오긴 뭐가 나온다고 그러시까?

맑은 공기와 무공해 먹거리 찾아
청정지역 시골로 이어지는 상춘 차량 행렬이
끝이 보이지 않게 꼬리를 물고 밀어닥치는 주말
밭두렁 산동백꽃 노오란 한숨 터뜨리는 부우연 햇살 속으로
아지랑이처럼 시커멓게 다이옥신 피어오르는 봄날

* 다이옥신: 비닐류 등을 태울 때 발생하는 유해 환경 호르몬의 일종.

# 문산댁

어둠 속 개 짖는 소리 몇 겹 접어 베고
창문 밖 달빛 가장자리 끌어당겨 덮고
세월처럼 마디마디 쑤시는 관절 주무르면서
밤마다 끙끙거리며 홀로 뒤척이는 문산댁

손톱 채 자랄 틈도 없이
악착같이 땅 파서 자식들 대학 갈쳐
도시 나가서 돈 잘 버는 직장 댕기고
큰 아파트 사서 깨끗허니 잘산다고
늙은이가 뭐 욕심낼 게 있시까
자식덜 잘 되면 그게 가장 큰 낙이지

자식 자랑이 커질수록
나날이 허리 주저앉아 등 오그라들고
두 무릎 점점 더 벌어져 안짱다리 되고
종아리 더 가늘어져 걸음 힘없이 더뎌지고
자식들 살림 내줄 때마다 떼어내 주고 남은
이제 몇 마지기 논배미 가다루는 것도

하루가 다르게 숨이 턱에 차 징그러운데

그만하면 자식들한테도 할 일 다 했으니
이제 다 팔아치우고 고된 일 좀 그만하라고
이웃들 지나가며 무심코 던지는 소리
쓸데없이 자란 잡초 뽑아내듯 무심히 솎아내며
잘 간수해서 막내 물려주는 게 마지막 할 일이여
굽은 허리 펴고 흐뭇하게 들판을 바라본다

오늘의 옛날도 그 옛날의 오늘도
침침한 새벽안개 속 더듬더듬 들길 나섰다가
마음 산란하게 등 떠미는 노을 설레설레 뿌리치며
기다리는 불빛도 없는 마당으로 홀로 돌아온다

# 금고추 흙고추

평생 동안 밭이랑마다
헤아릴 수 없이 많은 세월을
실뿌리처럼 묻어왔다는 문산댁 할머니는
제일 힘든 게 바로 고추 농사란다
자식 농사만큼이나 어렵단다

이른 봄부터
모판에 파종하고 포트 이식해 육묘한 뒤에
밭 갈고 이랑 짓고 퇴비며 토양살충제 뿌리고
잡초 나지 못하게 두둑마다 비닐 멀칭하고
포기마다 일일이 물주고 흙 덮어
조심조심 어린 모종 옮겨심고 나서부터
장마 지면 침수되랴 배수해주고
바람 불면 쓰러지랴 지지대 세워주고
진딧물 깍지벌레 총채벌레 점박이응애 담배나방
곰팡이병 반점세균병 역병 탄저병 흰가루병
많기도 많은 병해충 방제하려면
하루가 멀다 하고 농약을 뿌려야 한단다

독한 농약 수없이 뿌린 고추라
맘 놓고 먹기도 그렇고
행여나 몸에 안 좋을까 하여
식구들 먹을 거랑 도시 나간 자식들 줄 것은
번거롭더라도 비닐하우스 안에 따로 심는단다
하우스에서 기르면 농약을 조금만 해도 된다고
사방을 넌지시 둘러보고 나서 목소리를 낮춘다

사람만 금수저 흙수저가 있는 게 아닐시다
기를 때부터 고추도
금고추 흙고추가 따로 있는 게 아니까?

* '금수저'는 부유한 부모 밑에서 태어난 자녀를, '흙수저'는 가난한 부모 밑에서 태어난 자녀를 일컫는 세태 풍자어임.

## 땅

재수가 없어 둘째로 태어난 그는 있는 거 없는 거 탈탈 털어 집안 대들보라는 큰형 대학 공부시키느라고 큰아들이 잘돼야 동생들도 잘된다고 식구들 모두 매달려 뒷바라지에 몰두할 때 도시로 떠나는 친구들 먼발치에서 바라보며 농잇소처럼 논두렁에 묶여버렸다.

형제들 서로 떠안지 않으려고 하던 돈도 안 되는 논밭 몇십 마지기와 노부모 봉양 책임과 고된 일 물려받아 일 년 내내 질퍽한 흙구덩이에서 뒹굴다 보니 비룟값 농약값에 품삯도 건지기 어려운 서글픈 농사일에 아까운 청춘 다 바치고 늙도록 장가도 못 가는 농촌총각 신세가 되고 말았다.

저녁마다 화도장터 골목 술집에서 울분을 토해내던 문산리 새마을 지도자 한답경 씨는 몇 해 전 광풍처럼 불어닥친 개발바람 투기바람 휩쓸고 지나간 뒤 한가하게 잦아진 낮술이 거나해지면 이제 많이 배운 거 부러울 거 없다고 논밭 팔아 서울에서 대학까지 나오고도 겨우 쥐꼬리만 한 월급에 목매고 사는 우리 형이 한심하다고 주억거리며 팔자

걸음으로 팔 휘저으며 흰소리를 친다.

이 땅 팔면 나도 부자여. 누가 뭐래도 이젠 땅 가진 놈이 최고여. 땅.

* 농잇소: '농우農牛', '농삿소'의 방언.

# 농촌 일으키기

물꼬 보러 왔다가
녹슨 삽과 낫 내려놓고
논둑 다 깎지도 못하고
쑤시는 무릎 마디 굽은 등으로 쓰다듬으며
평균 연령 팔순의 들판에
망연스레 노인이 주저앉아 있다

그 곁으로 다가온 고급 승용차 한 대
흙먼지 혼탁하게 매달고 달려와
선명하게 희망을 매달고 간다

| 책임지고 거래 성사시켜 드림<br>믿을 수 있는 전원개발공인중개사<br>전답 파실 분 연락 바람 010-2019-8949 |
|---|

그를 일으켜 세우기 위해

논둑길 전봇대에서
기운차게 현수막 한 장 펄럭이고 있다

# 어머니의 밭

어머니의 밭이 좁아지고 있다
팔순 허리 구부러질수록
더더욱 맹렬하게 기승을 부리는
바랭이와 방동사니에게 해마다 두둑을 내어준다

어머니의 삶은
손톱이 자랄 틈도 없이
손마디에서 푸른 물이 빠질 틈도 없이
거개가 풀과의 절박한 전쟁이었다

이젠 저 잡것들을 이겨낼 재간이 없구나
평생 빈틈없이 도닥거리던 국수당 비탈밭
애지중지 품었던 자식들 도시에 내어주듯
올해는 서너 이랑을 또 포기했다

평생 솎아내고 솎아내도 솟아나는
집 떠난 자식들 걱정같이 무성한 풀들에게
잡초보다 더 강인하게 지켜오던 세월이

뒷산 둥근 그림자에 잠기듯 무정하게 점령당하고 있다

# 똬리

열다섯에 시집와
대가족 맏며느리가 된 어머니가
평생 머리에 이고 나른 것은 무엇이었을까

눌리고 눌려
얇아진 똬리처럼
어머니를 평생 짓누른 것은 무엇이었을까

평생을 눌러 담아 차려내어
밥상 서너 개 가득 둘러앉히던
그 많던 가족들은 정녕 무엇이었을까

힘없이 굽은 허리로
백발의 체머리 흔들면서도
아직도 내려놓지 못한 똬리의 무게는
그 어디쯤까지일까

# 망월리에서 사 온 서리태

나이가 많아서 등이 굽어서 다리 힘이 없어져서 무거운 통 짊어지기 힘들어 제때 농약을 치지 못해서 알갱이가 실하게 제대로 여물지 않아서 하는 수 없이 남보다 싸게 파는 거라서, 그래서, 저농약 국산 농산물이어서 건강에 좋을 것 같아서 소박해 보이는 촌 노인의 말이 거짓이 아닌 것 같아서 땀 흘린 농부보다 중간에서 더 많이 가로채는 읍내 소매상에게 속지 않을 것 같아서 생산자에게 직구하는 것이 농민도 돕는 일이라 생각해서, 그렇게, 남의 약점을 기회로 삼아 강화도 망월리 미꾸지고개 넘다가 농가 타작마당에서 서리태를 사 온 영악한 도시인, 나

# 역전

배고픔이 가장 큰 추억이었던 시절
허기를 달래기 위해 마지못해 먹던 것들이 있다

미처 봄이 다시 오기도 전에
보리쌀을 채웠던 뒤주 바닥이 드러나면
자물쇠 채워진 아랫방 고구마 섬을 넘석거리고
뒤꼍 감자 구덩이 속에 짧은 팔을 길게 넣으며
일 나간 부모 몰래 끼니를 뒤져내던 유년이 있었다

풍요가 병이 된 현대의 빈곤 속에서
비만을 예방하기 위해 빈곤을 강요하는 아내가
반어적으로 차려내고 있는 풍요로운 식탁에서
소화불량의 추억을 마지못해 되씹고 있는
내 눈총에도 아랑곳하지 않고
날마다 식구들을 검진하고 있는 고구마와 감자는
구미 좌르르 흘러넘치는 흰 쌀밥 대신
반전 없는 역전 드라마의 주인공이 되었다

# 대산 가는 길

서산 지나 대산 가는 길에는
하늘에 닿을 듯한 공장 굴뚝들이
뒷동산 소나무들보다도 우람하게 자라있고

어쩌다 대처로 나가지 못하고
엉거주춤 주저앉아 있는 옛집들이
어느 농민 화가의 진솔한 풍경화 속에
안타깝게 녹슬어버린 양철지붕으로 채색되어 있고

바다는 자꾸만 메워져 썰물 끝으로 흘러 나가 버리고
갯벌은 손에 잡히지 않는 그림자처럼 멀어져만 가는데
폐어선들 몇 메마른 자갈밭에 누워 일어설 줄 모르네

# 빈집

누가 한때 생을 앉히려 했던 곳일까
잡목 우거진 골짜기 산그늘 아래
반 마지기도 안 되는 묵은 다랑논 몇
두렁마저 무너져 기울어져 가는 언덕 위
덩그마니 무릎 꺾여 쪼그려 앉은 집

떠나간 누군가를 부르는 듯
녹슨 양철지붕 틈새로 잡초 몇 가닥 손을 내뻗고
오래도록 돌아오지 않는 누군가를 기다리는 듯
뒤란 울타리 장독대 옆을 지키던 대나무 몇 그루
기울어진 대문간까지 걸어 나와
마당가를 향해 목을 늘이고 서 있다

행여
누가 언제 돌아와
집 나간 세월을 불러들여 다독여 앉히고
저들을 다시 뒤란으로 데리고 들어갈 수 있을까
집의 무릎을 일으켜 세울 수 있을까

무너진 굴뚝 끝으로

영혼마저 증발해버린 듯한 빈집

# 태풍이 남긴 말

언젠가 한 번은
그래야 할 때가 되었다는 듯
초강력 태풍이 주저 없이 숲을 쓸고 간 뒤
통째로 쓰러져버린 나무들 도처에 나뒹군다

마냥 무성하게 매단 수선스런 가지와
스스로도 버겁도록 살찌운 거대한 몸통은
한낱 바람보다도 가벼운 탐욕이었구나

위로
높이 오르고자 하는 자는
아래로
깊고 단단한 뿌리부터 내릴 것

태풍이 남기고 간 말이
여진처럼 남아 웅웅거리며
주저앉은 숲을 일으켜 세우고 있었다

## 참깨꽃 옹달샘

초고층 빌딩 우거진
거대한 신도시 아파트 숲속
아무도 마음 깊게 심지 않는
귀퉁이 좁은 공터에
누군가 정성스레 피워놓은
퐁퐁퐁 연분홍 초롱들
옹달샘처럼 고여 있다

떠나온 고향 잊지 못해
그리움 심을 곳 찾고 있는
고층 할머니를 날마다 불러내려
작은 키를 발돋움하고서
도란도란 솜털 고운 귀엣말을
한 바가지 떠주는
참깨꽃 몇 송이

# 망각의 소유

삭막한 도시를 청산하고
공기 맑고 풍경 좋은 전원에서
좀 더 신선하고 낭만적으로 살겠노라

아파트에 비좁게 갇혀 있던 삶을 탈탈탈 불러내어
이삿짐 트럭 한 대에 차곡차곡 쪼그려 앉히다 보니
소유하고 있었으면서도 소유자가 아니었던 것들이
베란다며 거실 구석구석에서 절뚝거리며 끌려 나오고
온몸에 먼지를 덧칠한 채 장롱 위에서 뛰어내린다

소유권을 망각하고 있었던 잡동사니들이
달리는 트럭 위에서 구시렁구시렁하더니
다시는 유폐되기 싫다는 듯
잊혀진 옛사랑의 기억을 되살려놓으려는 듯
청량한 바람을 끌어다가 먼지를 닦아내고
수줍은 나무 그늘을 끌어다가 상처를 메운다

더 이상 남루를 이끌고 오지 않으려고 했건만

망각 속에서 반어적으로 출토된 유물들을
망각의 저장고 같은 삶의 액자 속에 옮겨 걸고 말았다
망각도 소유다

# 불 꺼진 萬壽里

할머니 한 송이가 또 꺼졌다
도시로 내보낸 살점 같은 자식들 대신
금 간 옹배기에 봉숭아 서너 송이 심어 기르며
오래 앓은 무르팍 관절염과 함께
산골짜기 끝자락에 유배처럼 붙박여 있던
아랫말 구순의 강씨 노인이
기어이 생의 마지막 불을 껐다
그을음 푸슬푸슬 떨어져 내리는 처마 밑
군데군데 널장 빠진 툇마루 끝에 뭉쳐 나앉아
안간힘을 다해 홀로 밝히던 불을 껐다
덩달아 모퉁이 돌담길 하나가 또 꺼지고
머지않아 마을이 통째로 꺼지고 말 거라며
마지막 청년인 칠순의 이장이
허공을 바라보다가 눈시울을 훔치는 사이
허물어진 돌담 안 이끼 핀 장독대를 굽어보며
묵은 살구나무 한 그루
검버섯 핀 구부정한 허리께에
조등처럼 불그레한 꽃송이 몇을 매달고

꺼질 듯이 위태로운 봄밤을 흐느끼듯 흔들며
홀로 묵념에 잠겨 있었다

# 즐거운 장례식

거대한 한우 영정 사진이
현수막으로 걸려 펄럭이고 있는 장례식장

전환할 기분을 몇 인분씩 싣고
도시에서 몰려온 문상객들이 몰고 온 자동차들이
문전성시를 이루며 봉분처럼 주차장을 가득 메운다

종말처럼 번성해가는 인장人葬의 시대
탐욕을 살찌우는 항생제를 의무처럼 은총으로 섭취하며
어디선가 차례를 기다리며 죽음이 사육당하고 있을 때

오늘의 장례는 아주 즐거웠다는 듯
숯불에 구워 그들의 시신을 나눠 먹은 사람들은
마취제 같은 술과 환각제 같은 커피를 마시고 떠났다

오만한 삶의 찌꺼기들을 이쑤시개로 쪼아내 뱉어내며
자신들의 장례식을 미리 즐긴 것도 모른 채
전환한 기분을 헛배가 부르도록 흡입하고 황망히 떠나갔다

# 제3부

# 선언

# 돌담

발부리에 채여 길섶으로 밀려나고
삽날에 걸려 밭두렁 풀숲에 내던져지고
인적 없는 산비탈에 굴러떨어져 깨어지고
세상에 똑같은 것 하나도 없는 돌들이
큰소리 한번 쳐보지 못한 것들이
제가끔 움츠리고 작게 쓰러져 있던 것들이
어깨 겯고 가슴 펴고 함께 일어서 있구나
거센 바람과 눈보라를 막아낸 품 안 가득
틈새마다 봄을 매다는 담쟁이의 손길 얼싸안고
이웃들 맞이하는 호박 덩굴 둥실 무동을 태우니
마침내 조각들이 뭉쳐 그 마음 크고 단단하구나

# 죄인

포연이 퇴색시켜버린
흑백의 역사 속에
그을음처럼 얼룩져 있는 증오를
퇴락해가는 마지막 철조망에
녹슨 사상의 인질처럼 걸려 있는
허리 꺾인 한반도의 신음을
아직도 씻어내지 못한다면

그저 살기 위해 나선 피란길에서
어미의 손을 놓친 네 살 난 아들이
결코 놓을 수 없던 그리움으로
반세기도 훨씬 넘도록 달려오고
어린 자식의 손을 놓쳐버린 어미가
차마 눈감을 수 없던 애통함으로
구순이 넘도록 마지막 기력을 다해 달려가
마침내 천둥처럼 부둥켜안고
해묵은 녹을 닦아내며 채색하는 풍경
오로지 시리도록 순결한 눈물 하나로

다시 살려내고 있는 저 풍경 하나가
역사를 목메이게 하고 있을 때
함께 목메이지 못한다면
다 함께 눈물이 되지 못한다면

우리는 죄인이다
우리는 모두 역사의 죄인이다

# 교동도 제비집

그저 대대로 흙으로 살아온
사상도 모르는 농투성이 가족
영문도 알 수 없는 전쟁통에
예성강 하구 드센 물살에 떠밀려
잠시 건넌 바다가 평생이었네

완강하게 가로막힌 철책선 너머
눈길조차 마음대로 드나들지 못하고
탁하게 소용돌이치는 물살에 실어
닿을 수 없는 그리움만 건네 보낸 지
어언 한평생 한탄이었네

큰 원한도 다 풀렸을 긴 세월
행여나 아무리 기다려도
다시 돌아가 벼포기 꽂지 못하고
집으로 돌아갈 수 없는 류씨에게
집이 오히려 돌아왔네

어머니같이 너른 갯벌 품 안 가득
오순도순 길러내던 삶 넘실대던 연백평야
곱고 찰진 고향을 한 모금씩 물고 와
처마 밑 우체통처럼 지은 집
눈시울 뜨거운 교동도 제비집

# 선언

－2018. 4. 27.

남과 북
국민과 인민으로
난생처음 만난 두 사람이
다정히 두 손 꼭 잡고
판문점 군사분계선을
넘어왔다가 넘어간 날
넘어갔다가 넘어온 날
우리도 다 함께
넘어왔다가 넘어갔습니다
넘어갔다가 넘어왔습니다
마음이 넘었습니다
반세기가 훨씬 넘도록 막고 섰던
철조망도 지뢰도 막지 못했습니다

녹슬어버린 역사를 녹여내어
피멍울 진 국토의 끊어진 허리를 살려내고
의심과 증오로 얼룩진 가슴과 가슴을 씻어내어
태초처럼 한 몸으로 맞붙게 할 수 있는 것은

마음이라고
오로지 마음뿐이라고
선언한 날이었습니다

# 마당 무덤의 전설

선바리재 돌아 오르는 산 중턱으로
선돌바위가 멀리 바라다보이는 윳골 재빼기 아래
지금은 무성한 쑥대가 키를 넘어 반쯤 무너진 양철집
구십 평생 다 넘어가도록 꺾이지 않고
무정하게 가로막힌 세월 홀로 지키다가 잠든
장씨 할매 산소가 있는 집
행여나 마지막 손이라도 한번 잡아볼 수 있을까나
다시 한번 거친 볼이라도 쓰다듬어 볼 수 있을까나
물살 드센 할멈 골시에서 떠밀려 드는 시체가
장부리를 시커멓게 덮던 그해 난리통에
포탄 맞은 고깃배와 함께 가라앉았으리라고도 하고
연평 바다 건너 북쪽으로 넘어갔으리라고도 하고
그림자도 없이 무성한 소문만 남기고 사라졌던 아들이
긴 전쟁 끝난 몇 해 뒤 그 어느 그믐밤처럼
머나먼 바닷속 물길을 은밀하게 헤엄쳐온 듯
번쩍거리는 테두리를 한 모자를 높이 쓰고
대숲 우거진 뒤란 으슥한 문을 두드리지나 않을까
행여라도 그 꿈 같은 밤이 다시 찾아오지는 않을까

조금이라도 기다리지 않게 문고리 손수 따주어야 한다고
허기지지 않게 따스한 밥 한 끼는 꼭 멕여 보내야 한다고
남들의 눈을 피해 숨죽여 기다리고 기다리다가
죽어서도 차마 발길 떨어지지 않아 멀리 가지도 못하고
아예 대문 밖 마당가에 누워버린 할매
기다림마저도 다 삭아버려 아무도 찾을 이 없건만
한 맺힌 머릿결처럼 산발했던 산소의 잡초가
어느 때인지 단정하게 빗겨져 있었다고들 수군대던
전설처럼 허물어져가는 마당 무덤이 있는 집

* 선바리재: 큰 바위가 산 중턱에 서 있는 고개라 하여 '선바위재'라 불리다가 변형된 것으로 추측되는 땅 이름.

## 통일시 평화역

여기는 통일시 평화역입니다
여기서는 남도 북도 누구나
자유로이 오가고 만날 수 있습니다

이곳은 원래
아무도 원치 않았던
역사의 흉터 비무장지대였습니다

이곳에서는 이제
동족의 가슴을 찢으며
오랜 상처처럼 녹슬어버린
지뢰와 철조망을 멸종시켰습니다

이곳에서 살고 있는 것은
가파른 벼랑도 버텨내 온
마음 굳건한 산양입니다
남의 먹이를 가로채지 않는
너그러운 노루 가족입니다

이곳에 피어 있는 것은
남과 북 동포들이 손 맞잡고
숨김없이 터져 나오는 눈물로 가꾼
금강초롱과 벌노랑이꽃입니다

해남과 온성에서 출발한 열차가
한 몸처럼 뜨겁게 만나는 이곳은
끊어졌던 국토의 허리를 다시 잇고
온 민족의 가슴을 하나로 녹여내어
새로 세울 나라 대한공화국의 심장
통일시 평화역입니다

# 약점

젊어서 세 번 이상 읽으면
평생 남에게 속지 않고 살 수 있다
국어 선생 평소 강조하는
지략과 지혜의 보물 창고 삼국지
두껍고 복잡한 책 다 읽는 건 싫지만
한마디로 내용 요약하자면
상대의 약점을 노려라, 아하
수업 시간도 전투나 마찬가진데
약점을 잡으려는 계략이 난무하는데
잠자고 떠든다고 지적당했다고 해서
단번에 항복하는 건 어리석은 일
못 들은 척 계속 자고 떠들다 보면
예의 없다 의지 약하다 점잖게 타이르다가
지도 불응한다고 핏대 올리면서
마침내 언성 높이고 욕을 하게 될지니
혹시라도 알밤을 한 대 먹이거나
등짝이라도 한번 치면 금상첨화
적이 먼저 약점을 드러내게 하라

이것이 바로 생활 속의 손자병법
교사가 학생 인권 무시하는 언행했다고
한마디만 들이대면 만사형통이라
힘만 앞세우지 말고 지혜롭게 살아야 한다
수업 시간마다 우쭐해서 큰소리치던 적이
조건 없는 자식 사랑만큼 목소리 높여
학부모회 임원 간판 내세우는 엄마 앞에서
얼굴 붉어져서 쩔쩔매며 목소리 낮추는
교장실 바닥에 무릎 꿇고 두 손 모아 조아리는
약한 모습 통쾌하게 즐길 수 있게 되느니
대한민국 버전 여수장우중문시가 되느니
으하하하

* 여수장우중문시與隋將于仲文詩: 고구려의 장수 을지문덕이 살수에서 싸울 때 수나라 장수 우중문을 위협하며 조롱조로 지어 보낸 한시.

# 수 싸움

수업 시간에 엎드려 자고 있는데
참지 못하고 다가온 국어 선생
책 들고 뒤에 나가 서 있으라고
졸음이 가실 때까지 반성하라고
엄중하게 강제 퇴장 명령을 내리시네
반 아이들 보기 쪽팔리고 귀찮고
적당히 버텨보려고 뭉기적거리는데
왜 지도에 불응하느냐고 호통을 치시네
벌점을 주겠다고 으름장을 놓으시네
할 수 없이 굴복하긴 했지만
왠지 분하고 억울한 생각이 치밀어
저녁 하굣길에 후문 주차장 지나다가
반듯하게 세워져 있는 승용차 긁어버렸네
뾰족한 못으로 찍찍 선명하게 보은했네
다음날 수업 시간 선생 표정 보니
아무 일 없는 것처럼 태연한 체하는데
속으로는 열불 날 텐데 체면 때문일까
용서를 손수 실천이라도 하려는 걸까

보복하면 졸라 후련할 줄 알았는데
생각지 않은 수 싸움 하려니까
오히려 불안하고 약만 더 오르네

* 졸라: 청소년들 사이에서 '무척', '매우' 등의 의미로 쓰이는 속어.

# 특기

특기를 살려라
류현진이나 박지성이
야구나 축구 하지 않고
국 · 영 · 수 공부만 했다면
지금처럼 성공할 수 있었을까?

교과 공부 못한다고
기죽지 말고 특기를 살려라
사람은 다 자기가 타고난 것이 있다
잘하는 것을 해야 성공한다

세상살이 달관한 해결사처럼
자신만만 훈화하는 선생님
그러나 하나만 알고 둘은 모르시나

특기가 있는 사람은
더 특별한 사람이라는 걸
남보다 특별히 잘하는 것 없는

평범한 인생들이 대부분이라는 걸

정녕 모르신단 말인가

* 박지성: 잉글랜드 프리미어리그 명문 축구클럽에서 활약한 유명 프로축구선수.
* 류현진: 미국 메이저리그에서 활약하고 있는 유명 프로야구선수.

# 대한민국 인생 목표

우리 부모님은
아들딸 대학 졸업시키기 위하여
제대로 입지도 먹지도 못하고
평생을 다 바쳤습니다

우리들도
아들딸 대학 졸업시키기 위하여
성공한 부모가 되기 위하여
평생을 다 바치려고 합니다

우리 아이들도 또
아들딸 대학 졸업시키기 위하여
훌륭한 부모가 되기 위하여
평생을 다 바칠 것입니다

대를 물려
아들딸 대학 졸업시키기 위하여
한평생 다 바쳐 희생하는 것이

복지국가 대한민국 인생 목표입니다

# 나무의 사상

나무는 몰랐을 것이다
수십 년 송이송이 피워 물었던 세월
갑자기 송두리째 청산당할 때까지도
벚나무는 미처 몰랐을 것이다

자신이 봄마다 피워 낸 꽃망울들은
단지 아름다움에만 물들어 있었을 뿐
아무것에도 물들어 있지 않았지만
정작 맹목적으로 물들어 있는 것은
나무를 의심하는 사람들이라는 것을
비로소 알게 되었을 것이다

일사불란하게 대열을 맞춰
줄 서기를 강요당하는 조회 때마다
유난히 애국심을 목청 높여 강조하시는
새로 부임한 교장 선생님의 지시에 따라
왜놈 나무라는 불순한 누명을 씌워
교문 옆 아름드리 벚나무들을 베어버린 식목일

사상도 없는 내 가르침을 비웃듯
용비어천가를 따라 읽는 아이들의 목소리
낡은 교실에 갇혀 가물가물 졸고 있을 때
창밖으로는 세상을 송두리째 바꿀 듯이
봄 햇살이 눈부시게 불타오르고 있었다

# 아니라고 한다

건축업자에게 뇌물 먹고 구속된 교육감은
측근이 받은 것이지 자기는 아니라고 한다
그는 주민 직선으로 선출된 자칭 진보교육자였다.

재벌에게 뇌물로 받은 수십억짜리 말을 탄 승마선수는
엄마가 받은 것이지 자기는 아니라고 한다
그는 한국 최고 명문 여대에 부정 입학한 체육특기자였다.

권력자에게 뇌물을 바치고 구속된 재벌총수는
순수한 기부금이지 뇌물을 준 것은 아니라고 한다
그는 세계 최고 유명 반도체 기업의 승계자였다.

동네 아줌마에게 국무회의 자료를 검열받다 탄핵당한 대통령은
도움을 받은 것이지 국정 농단은 아니라고 한다
그는 반신반인의 경지에 등극한 비운의 독재자 딸이었다.

거짓과 뇌물을 일용하며 차명 인생을 살다 구속된 전직

대통령은

정치보복이지 사법 정의가 아니라고 한다

그는 평사원에서 대기업 사장이 된 신화의 주인공이었다.

아니라고 하는 말만 하는 텔레비전 뉴스를 지켜본 국민들은

아니라고 하는 말이 아니라고 냉소한다

그들은 개국 이래 이어지고 있는 막장 정치드라마 관객이었다.

지옥 같다는 헬조선이라는 말이 난무하는 나라에서는

그렇다라는 말은 이 시대에 사용하는 말이 아니라고 개탄한다

그곳은 비정상이 정상으로 통용되는 슬픈 반도였다.

# 까치집

더 높이 쫓겨갈 곳도 없는
송림동 수도국산 꼭대기
가파른 비탈에 판자 조각들로 누덕누덕 기운
삐걱대는 계단처럼 위태롭게 기울어 가던 집

현대시장 깡마당 질척한 노점 좌판에서
어머니가 물어오는 콩나물 부스러기 같은 먹이만 기다리다가
산 아래로 내려가 공사판을 전전하며
깨진 벽돌 조각 더미에 발부리 채이며 먹이를 찾게 될 때까지
할아버지의 오래된 기침소리처럼 덜컹대던 단칸 미닫이문을 여미며
살이 맞닿아도 밀쳐 내지 못하고 비좁게 웅크리던 둥지 같던 집

낮은 곳에 안착할 날을 꿈꾸며 헤맨 지
수십 년 연습 끝에도 아직 먹이 찾기가 미숙한 그는

언제부턴가 산 중턱 고목 꼭대기 까치집을 불안하게 바라보다가
시장 모퉁이 쓰레기더미를 헤집고 있는
땅바닥의 까치들을 만날 때마다 자기도 모르게 한숨을 쉬곤 한다

# 팔라우 해파리

서태평양 팔라우공화국 록아일랜드
바다의 정원이라 불리는 해파리 호수에는
독 없는 해파리들이 살고 있다

오랫동안 포식자들과 격리되어 살다 보니
공격 기능의 촉수가 퇴화되고
적을 해치기 위한 독성이 저절로 소멸되어버린
순둥이 해파리들이 살고 있다

적개심이라는 단어를 사전에서 퇴화시키고
투쟁이라는 긴장감을 삶에서 소멸시켜버리고
누구의 먹이가 되지 않을까 걱정 필요 없이
팔라우 해파리들처럼 살고 싶다

# 약탈자

늦은 밤 내리막길에서
예기치 못하게 만난
길을 건너던 고라니가
자동차 불빛과 범벅이 되어 뒹굴다
미처 그림자가 되지 못하고 흩어졌다
우리의 텃밭을 침범해
양식을 몰래 약탈해 갔다고
누군가 그를 향해 욕설을 던져댔지만
평화로운 어둠을 침범한 것이
야생의 원시 자유를 약탈한 것이
누구인지 진정 알 수 없는 밤이
외마다 비명과 함께 버둥거리다가
매정하게 차가운 아스팔트 위로
살얼음처럼 널브러지고 있었다

## 그대는 봄이었구나
–시인 정세기 시비 제막식에 부쳐

계주 선수 정세기 달려간다
이겨라 이겨라 열광하는 함성을 온몸에 휘감고
감히 누구도 따라오지 못하도록
날래고도 날래게 내닫는 발길마다
흙먼지 일으키며 운동장을 질주하는 그대

남달리 총명하고 운동 잘한다고
군내에까지 모르는 이 없이 칭찬 자자하던
5남 5녀 다복했던 10남매의 자랑거리
광양 옥곡면 금촌마을 양철지붕집 넷째 아들
그러나 예기치 않게 너무 일찍 찾아온 불행이
세상의 든든한 기둥이었던 아버지를 쓰러뜨렸지만
안개 속 같은 불안 속에서도 절대 놓치지 않으려고
여리디여린 손마디로 꼬옥 움켜쥔 유년의 꿈을
한숨과 땀과 눈물로 심고 또 심었을 저 운동장
흙먼지 가르며 맨발의 어린 계주 선수 달려 나간다

끝끝내 놓칠 수 없는 바통 하나 움켜쥐고

유년이 다 해지도록 드나들었던 교문을 나서서
낯설고 험한 세상의 다리 이어가기 위하여
일렁이는 거친 바람 속으로 그대가 달려간 곳은
광주 전남체육중학교 축구선수의 꿈이었다가
호남의 수재들이 몰려드는 순천고등학교였다가
초등교사 양성의 최고 산실 서울교육대학교였구나
그로부터 애써 그대가 찾아간 곳은
굴곡 많은 시대의 한복판에 선 교육노동자였구나
위선과 허위의식으로 점철된 교육 현장에서
희망도 없이 맹목적인 순응주의에 길들여지고 있던
서울 변두리 판자촌 산동네 봉천국민학교
모두가 외면하던 가난한 어린 민중들의 곁이었구나
세상을 맨발로 달려 나온 그대는
세상을 맨발로 걸어 나가는 어린 민중들의 상처 보듬다가
'슬픔'이 착한 심성을 키워내고,
불행이 때로는 삶의 '힘'이 된다는 믿음을 심어주다가
죽을 고비 넘기며 떠안게 된 심장병도 아랑곳하지 않고
의연한 겨울 산처럼 푸른 상처를 안고 살아가는

생명과 희망과 사랑을 키워내는 민족시인이었구나

마음은 항상 키 큰 감나무 곁의 양철지붕집에 두고서도
여름이면 붕어, 메기를 잡고 물장구치며 놀던 오지낙을
떠나와
도시의 배설물 같은 악취와 중금속 오염의 강물을 따라
또다시 그대가 달려간 곳은
마지막 전답 팔아 고향을 등지고 상경한 어머니가
낯선 눈길에 미끄러져 다친 허리를 두들기며
깨진 독과 플라스틱 대야에 정성스레 고추씨를 심으시던
성남시 변두리 반지하 셋방이었구나
멀고 먼, 길고 긴 그대의 계주였구나

작은 실개울이 세상 굽이굽이 돌고 돌아
다시 만나고 만나 큰 강물로 부둥켜안고 흐르듯
그대 이제 돌아오는구나
아픈 이들 어루만지고
분노한 이들 다독거리다가

가슴 속에 깊은 상처 얻어 키우다가
세상의 결승선,
영원한 어머니의 품속 고향으로 돌아오는구나

그대, 보이느냐
황량한 겨울의 굽이굽이 돌고 돌아
따스한 햇볕 휘감고 달려오는 그대를 맞이하기 위해
콩나물시루 속처럼 옹기종기 오물거리며
형제들과 온기를 나누고 꿈을 밀어 올리던 유년이
정겨운 울타리마다 노오란 개나리로 수줍게 웃고
산벚꽃 흐드러진 뒷산 양지 녘에 진달래 빛 볼을 붉히고
섰는 것이,
성수 엉아도 진갱이 성님도 두규 성도 상준이 성도
영옥 누님도 일환이 아우와 벗들 모두 모여
봄날처럼 달려오는 그대를 맞이하고 섰는 것이,

그대, 이제 보이느냐
그대가 다시 돌아와

봄처럼 다시 피워 올린 저 풍경이 보이느냐
대숲에서 불어온 바람에 장발을 날리던 큰형도
아버지를 제일 많이 닮았다는 둘째 형도
하얀 살결이 돋은 목덜미로 찔레순을 꺾던 누이도
찾아갈 주소도 없는 쓸쓸한 분노의 편지를 남기고 떠났던 아우도
세월 속으로 도꼬마리 씨앗처럼 흩어졌던 형제들
보리밭 돌아 부는 실바람처럼 끝내 우리 것인 사랑의 이름으로
다시 돌아와 그대를 기다리는 것이 보이는가
방골재 너머 미륵골 보리밭에 누우신 무덤가
못다 하신 유언인 양 산수유꽃으로 피어난 아버지 곁에서
홀로 수십 년 소태같이 쓴 세월을 인고하시며
언제나 추운 겨울 같은 일생을 사신 어머니가
그대와 식구들의 밥상을 차리기 위해
햇살에 젖어 새잎처럼 빛나는 손길로
묵은김치를 씻는 모습이 보이는가
심근경색이라는 난치성 병을 얻어 심란한 아침

"아빠 지구가 아프대요." 뽀뽀뽀를 보다가
쪼르르 달려와 천진난만하게 안기던 네 살배기 아들이
그대의 봄을 다시 포옹하려고
저렇게 의연하게 키 높이 서 있는 것이 보이는가

전교어린이회장 꿈도 많은 유년의 발자국이
철 따라 꽃잎으로 흩날리고 낙엽으로 닿지 않은 곳 없고
때로는 어린 눈물도 땀도 도닥여 묻어놓았을 운동장
훈훈한 흙내음 아지랑이처럼 피어오르는 오늘
멀고 먼 세월의 저편에서
청백의 바통 대신
그대가 꼬옥 움켜쥐고 돌아온 것은 눈부신 봄이었구나
그대는 세상의 봄날 여는 정결한 시 한 편이었구나
그대의 시는 어디서든 항상 따스한 봄이었구나
그대는 온통 봄이었구나

* 일부 구절은 정세기 시인의 시구를 인용하여 지었음.

# 제4부

# 베개를 베고 누운 교복

# 촛불 해전

서울 광화문 광장에서는
해전이 뜨겁게 벌어지고 있다

눈을 부릅뜬 청동 이순신 장군은
어둠 속에 숨어 있는 삼각산을 등지고 서서
오른손에 큰 칼을 쥐고
적을 단칼에 베어버릴 기세다

적은, 그러나 등 뒤에 있다
작은 촛불을 저마다 움켜쥐고
장엄한 의식처럼 도도하게 물결치는 함성들
눈앞의 분노는 적이 아니다
숨어 있는 적을 보지 못한다면
그도 역사도 적이 될 것이다
비장하게 등을 돌려
정의로운 반역을 호령해야 한다
더는 가만히 있지 말아야 한다

무고한 백성들을 침몰시키며
간교한 역적들이 일으키고 있는
탁하게 역류하는 조류를 베어야 한다
죽창 대신 촛불을 밝혀 든
남녀노소 천만 의병 대열을 이끌고
진도 앞바다에서 삼각산까지
국정교과서 밖으로 진군해야 한다
눈 뜨거운 민란을 지휘하는
의병장이 되어야 한다

# 그만할까요?

몇 년 전이었던가
피다 만 봄이 시들어버리고
바다가 물음표 같은 부표를 뱉어내며 쓰러진 날
이 길을 흘러간 세월이 돌아오지 않는 곳에 가서
숨 가쁘게 자맥질하다가 발이 지워져버린 돌고래와
솜털이 빠진 채 창백하게 날다가 얼굴을 잃어버리고
빙하처럼 가라앉아버린 새털구름들을 보았지만 만나지
못했어

*그만해,*

욕망을 채가려고 파도를 쪼아대는 갈매기 떼들을 향해
찡그린 채 침을 뱉듯 철썩이고 있던 방파제 품 안에서는
퇴색한 노란 리본들이 피로에 젖은 팔을 늘어뜨려
등대를 향해 튀어 오르는 눈물들을 힘겹게 닦아주고 있었
지만
아무 일이 있었다가 없었던 것처럼
생각 없이 낮잠에 빠진 바람이 나뒹굴고 있는 항구는

잠시 떠난 봄꿈들이 여름에서 겨울로 미처 돌아오기도
전에
오아시스에 빠져 허우적이다 가라앉는 사막으로 변해갔
어
사막은 바다로 이어진 모든 길에서도 출렁거리고 있었어
마음을 건조시키려면 덕장처럼 사막을 펼쳐놓으면 된다
고

*그만해,*

횟집 접시 위에 깔아 놓은 바닷속에는
바닥이 깨져버린 수족관 바닥에 미끄러진 물고기들의
영혼이
무거운 누더기가 벗겨진 채 사육제를 위해 단장되고 있었지
목포 신항 부두에서 녹슬어가고 있는 거대한 고철 몸체처럼
조금씩 부스러지고 있는 우리들의 안위를 술잔에 채워놓
고
세월호를 타고 세월을 건너다 멈춘 이들을 떠올리다가

세월을 타고 세월호를 건너는 이들은 무엇일까 생각했지
세월 위로 또 다른 세월이 먼지로 쌓이는 것을 바라보았지

*그만할까요?*

# 다시, 세월호의 항해

세월호는 아직도
침몰한 게 아니었다
침몰한 건 정작 한반도였다

애통하게 항해를 빼앗겨버렸다고
모두가 가슴을 치고 있던 동안에도
세월호는 항해하고 있었다

세월호의 침몰은 어쩌면
침몰한 한반도를 인양하기 위한
진정 목숨을 건 항해였다

세월호가 다시 떠올라
멈춰 섰던 한반도의 선장이 되어
더 큰 항해를 시작했다

우리는 모두
새로운 항해를 시작한 세월호에

# 거룩한 슬픔으로 승선해야 한다

## 베개를 베고 누운 교복

—'세월호' 광화문광장 분향소에서

서울 광화문광장에는
단정하게 베개를 베고
얼굴을 잃어버린 교복이 누워 있다

가만히 있으면 구해주겠다는
거짓 약속을 구명동의처럼 입고
내밀지 않는 손을 초조하게 고대하다가
깊은 바닷속에 가라앉아버린
앳되고 해맑은 영혼을 기다리며
가슴에 붙어 있는 이름표는
광장 천막 분향소 옆에 누워
저무는 햇살에 잠기고 있다

지나가던 기억들이
숨 막히는 세월을 허우적이다가
시린 물속에 함께 잠기며
시야를 흐리는 풍경을 베고
마른 눈물을 함께 눕힌다

독한 감기를 쿨럭이는 기억들은
대한민국 69년 봄의 혹한에 치를 떨다가
단원고등학교 수학여행단을 눈물로 부르고
진도 팽목항 앞바다를 통곡으로 부르고
침몰한 세월호를 절망으로 부른다
목숨을 외면하는 조국을 분노로 부른다

기만으로 얼룩진 막다른 시대가
위태롭게 비명 속으로 침몰하고 있건만
쿠데타의 후예인 그림자 대왕은
눈물과 피 얼룩진 광장 한가운데에 박제된 채
색 바랜 옛 환몽만 건져 올리고 있을 뿐
역사의 눈물 같은 한마디 뉘우침조차 없다

세월은 깊은 물 속 지하실에 감금되어
침묵을 강요당하고 있다

# 어떤 감사

1

여러분들과 같은 또래의 친구들이 아무 죄도 없이 희생된 세월호 2주기가 다가옵니다.

*세월호 유족들은 왜 정부더러 책임지라고 난리죠?*

국가는 국민의 생명을 보호해야 할 의무를 다하지 못했습니다. 당연히 해야 할 구조 활동을 하지 않았습니다.

*희생자들은 여행 가다가 운이 나빠서 사고로 죽은 것인데 그게 정부 책임인가요?*

만약 자신의 부모님이나 가족이 세월호에 승선했다가 그렇게 희생되었어도 그렇게 말할 수 있을까요?

*아니 지금 우리 부모님더러 죽으라고 패드립한 겁니까?*

그들의 테러로 세월호는 더욱 깊은 상처 속으로 침몰하고 있었다.

2

*수업 시간에 진도 안 나가고 세월호 얘기한 것이 몇 회입니까?*

모르겠는데요.

*기억이 안 납니까?*

아뇨. 너무 많이 해서 몇 번인지 셀 수가 없는데요.

*교사가 수업과 관련 없는 얘기한 것은 교육과정을 위반한 징계 대상입니다.*

오히려 세월호 얘기를 한 번도 안 한 교사가 누구인지 조사하는 것이 옳지 않을까요? 그들은 인간에 대한 기본 예의조차 없는 존재들일 테니까요.

*우리 교육청은 법대로만 감사를 하는 겁니다. 법은 누구나 준수해야만 합니다.*

그런 법이 어디 있죠? 생명보다 더 위에 있는 법도 있나요?

그들의 테러로 세월호는 더욱 깊은 절망 속으로 침몰하고 있었다.

* '패륜적인 비하 발언'이라는 의미로 사용하는 신조어.

# 하늘우체통으로 부치는 편지

–안산 단원고 2학년 박혜선을 기억하는 시

내가 엄마께 편지를 쓰면
그 편지는 하늘나라로 간대요

하늘나라 우체통에서
내 편지를 꺼내서 읽으시고

잊지 말고 엄마,
답장을 거기로 보내주세요

나도 거기 가서
엄마의 편지를 가져다 읽을 거예요

내가 이렇게 쓰면
엄마는 요렇게 답장을 써주세요

엄마 말을 잘 듣지 않은 일들
너무나 죄송하다고 쓰면
아니다 괜찮다고 굳이 쓰지 않으셔도 돼요

부족한 딸 잘 키워주셔서
그동안 참으로 감사했다고 쓰면
더 잘해주지 못해서 미안하다고 쓰지 않으셔도 돼요

다시는 엄마 곁에 돌아가지 못해
무엇보다도 슬프다고 쓰면
네 슬픔마저도 기꺼이 사랑한다고 써주세요

나도 엄마를 사랑했다고
엄마가 미울 때도 사랑은 멈추지 않았었다고 쓰면
이 세상 다하는 날까지 우리 사랑은 멈추지 않을 거라고 써주세요

내가 너무 멀리 있어서
엄마가 날 잊을까봐 두렵다고 쓰면
보이지 않아도 잊을 수는 없을 거라고 써주세요

나쁜 내 시력이 더 나빠져서
엄마를 보지 못하게 될까봐 두렵다고 쓰면
눈을 감고도 엄마는 너를 볼 수 있다고 써주세요

그래요 엄마, 걱정하지 마세요
너무 멀어 엄마 말을 듣지 못해도
너무 어두워 세상이 다 보이지 않아도
그래도 나는 끝까지 엄마만을 바라볼 거거든요

## 함께 있지현
–안산 단원고 2학년 남지현을 기억하는 시

맑은 물 아래 빛나는
돌멩이를 줍는 태몽 뒤 태어난 너는
보석 같은 돌멩이지현

실제 드라마보다도 더 재미있게
개그맨처럼 재기 넘치는 말솜씨로
주위 사람들을 행복하게 해주던 너는
즐거운 이야기지현

어둔 하늘의 길잡이별과 같이
친구들의 고민 상담자 역할도
화해의 중재자 역할도 도맡아 한 너는
정 깊은 나눔이지현

우리는 항상 너의 주변에 있다,고
우정의 반지에 새긴 맹세처럼
가족과 친구들이 곁을 잊지 않고 있는 너는
여전히 소중하지현

손도 잡을 수 없는 머나먼 곳으로
홀연히 하늘공원으로 떠난 뒤에도
끝끝내 떠나보낼 수 없는 너는
언제까지나 우리와 함께 있지현

## 너 아니면 안 된다는 걸

—안산 단원고 2학년 박정은을 기억하는 시

그동안 몰랐던 말
너 아니면 안 된다는 걸,
네가 빈자리가 되고 나서야
우리는 알게 되었다

바쁜 부모 대신하여
자잘한 집안일 도맡아 하면서
철없는 동생부터 애완동물들에 이르기까지
불평 한마디 없이 거두고
아직은 부모에게 안길 천진한 나이에
오히려 부모까지도 넉넉하게 품고
어른보다 더 어른스럽게
힘든 내색도 없이 제자리를 지키던 너

빈자리가 되고 나서야
비로소 알게 되었다
평범하다고 여겼던 것들이
누가 대신 할 수 없는 소중한 것들이었음을

전 괜찮아요,
지연되던 배의 출항 소식과 함께 보낸 마지막 메시지가
주인 잃은 아디다스 운동화와 노스페이스 가방과 함께
지금도 묵묵히 우리 곁을 지키고 있는
저 빈자리가
너 아니면 안 된다는 걸
뒤늦게 깨우쳐주고 있다

너 아니면 그 자리가 될 사람이 없다는 걸
뒤늦게 우리는 알게 되었다

## 그 배는 어디로 갔을까?

—안산 단원고 2학년 송지나를 기억하는 시

어디로 갔을까?
그 배는 어디로 갔을까?

어린 곱슬머리마저도 오히려 예뻤던 지나
털털하면서도 당찬 고등학생이었던 지나
은밀하게 멋진 소설가의 꿈을 키우던 지나
어려운 형편 속에서 안쓰러움으로 키운 딸을 싣고
그 배는 어디로 갔을까?

유난히 쪽지 편지를 좋아했다는 것을
뒤늦게야 알게 된 아쉬움과
뒤늦은 후회를 사랑으로 담은
뒤늦은 엄마의 쪽지 편지를 싣지도 않은 채
그 배는 어디로 갔을까?

멋진 옷 좀, 비싼 옷도 좀 사줄걸,
미안함을 가득 채워 꾸려준
마지막 수학여행 가방을 실은

그 배는 어디로 갔을까?

친구들이랑 좋은 추억 만들고 와,
사랑해 우리 딸,에 멈추어 있는 엄마의 쪽지와
배 인제 출발한대요,로 끊어져 버린 딸의 쪽지를
실은 그 배는 어디로 갔을까?

열여덟 화사한 봄날의 항구에
꿈결 같은 닻을 내리고 피워올리려던
우정도 사랑도 추억도 송두리째 빼앗겨버린
그 배는 대체 어디로 끌려갔을까?

## 그를 기억해야 하는 이유
### —안산 단원고 2학년 양온유를 기억하는 시

대한민국 시대 어느 봄날
안산 단원고 학생 325명의 수학여행단을 태운 세월호가
제주도를 향해 진도 앞바다 맹골수로를 항해하고 있었다지?

서기 2014년 4월 16일 아침
수상한 세월을 헤쳐나가던 세월호가
영문도 모른 채 수상하게 넘어지던 순간이었다지?

누구는 침몰하는 배에서 홀로 도망쳤지만
그는 탈출이 가능했던 갑판에서
오히려 물이 차오르는 선실로 뛰어들었다지?
선장은 살기 위해 승객들을 버렸으나
반장인 그는 친구들을 살리기 위해 목숨을 버렸다지?

점점 더 기울어만 가는 선실 바닥에 뒤엉켜
실낱같이 사위어가는 목숨줄을 부여잡고
두려움에 떨며 울부짖던 친구들에게

거짓말처럼 아무도 구원의 손길을 내밀지 않았다지?

그 순간, 미처 절망감에 치를 떨 사이도 없이
대신 선장이 되기로 마음먹었다지?
자기를 닮은 이름처럼
온유한 미소를 안개꽃처럼 맑게 피워올리던 그가
그때 우리의 선장이고 우리의 조국이었다지?
세월호와 함께 넘어져 버린 그들을 대신하여
겨우 18살의 앳된 소녀 반장이 일어섰다지?

대표는 봉사하는 자리라는 걸
사랑을 실천하는 자리라는 걸
하루도 거르지 않은 새벽기도 피아노 반주자로
독실한 기독교인의 사명처럼 키워가던 그였지만
만약 그때 세월이 위태롭게 병이 들지 않았다면
그리 일찍 목숨까지 던지지는 않았을지도 모른다지?

우연이 아닌 것처럼 공교롭게도

서른한 번째 희생자로 그가 팽목항에 실려 온 날
2014년 4월 19일 그날은 바로 부활절이었다지?
모두가 억울한 목숨들을 통곡하고 있을 때
그는 우리들의 슬픔과 죄책감 속에 부활했다지?
죽어 있는지조차도 모르고 죽어 있던 우리들을
부끄럼조차도 부끄러워할 수 없었던 우리들의 혼을
오히려 그의 죽음이 되살려놓았다지?

수치심에 눌리어 죽을 수밖에 없을 인간들을
어느 시인의 말처럼 크고 높은 존재로 부활시켰다지?
그래서 아주 아주 오래도록
그를 기억해야 하는 이유가 되었다지?

# 세상을 빵처럼 굽고 싶어요

—안산 단원고 2학년 오유정을 기억하는 시

엄마, 보이시나요?

잊을 수 없는 가족의 이름들을
하나하나 불러 모아 찰지게 버무려 반죽하고

식구들에게 미처 다 나눠주지 못한 정을
달콤한 생크림처럼 넘치도록 듬뿍 넣어

따스한 마음속에서 익히고 무르익혀 내어
쿠키를 굽고 있는 내가 보이시나요?

어린 동생 승민이에게 먹여보지는 못하지만
유정빵집 엄마 아빠에게 드리지는 못하지만

저는 여전히 쿠키를 굽고 있을 거예요
어쩌면 추억도 예쁜 글씨로 써 붙이고 있을 거예요

엄마, 잊지 마세요

내가 구운 것은 쿠키가 아니라
작지만 고소한 꿈이었어요

아빠가 날마다 구운 것은 빵이 아니라
평범하지만 달콤한 행복이었어요

내가 유정빵집 유리문에 써 붙인 것은
세상을 잘 익은 빵처럼 굽고 싶은 우리 마음이었어요

비록 지금은 꿈도 행복도 다 빼앗겨
멀고 먼 나라로 몸은 헤어져 있지만

내가 구운 쿠키와 엄마 아빠가 구운 빵이
언젠가는 서로 다시 만날 날 오겠지요

그러니 엄마, 멈추지 마세요
저도 절대로 멈추지 않을 거예요

세상이 송두리째 침몰한다 해도
우리들의 사랑만큼은 가라앉힐 수 없을 테니까요

세상이 잘 익은 빵처럼 부풀어 오를 날
기어코 우리 구워내고야 말테니까요

| 발문 |

# 삶의 옹이들이 결구한 아름다운 나이테

권순긍(문학평론가, 세명대 명예교수)

**바다의 노래, 노을의 찬란함 혹은 비장함**

'우편배달부'라는 뜻의 <일 포스티노Il Postino>라는 영화가 있다. 1950년대 이탈리아 작은 섬에 세계적인 시인 네루다Pablo Neruda가 망명해 오자 그에게 배달되는 엄청난 양의 우편물을 배달하기 위해 당국에서는 마리오를 임시 우체부로 고용한다. 순진한 청년 마리오는 수많은 여성들에게 팬레터를 받는 네루다가 무슨 일을 하는지 궁금했고, 시인이라는 사실을 알고 시를 어떻게 쓰는지 배우고자 했다. 네루다의 대답은 '메타포'를 써야 한다는 것! 네루다가 해변을 거닐며 시를 들려주자 마리오는 "말들이 배가 되어 떠다니며 이리저리 튕겨져 나와 멀미가 난다"고 한다. 네루다는 그게 바로 '메타포'라 말한다. 마리오는 바다를 통해 이미 '메타포'를 체득한 것이다. 네루다가 떠나고 마리오는 섬의 아름다운 소리를 녹음했다. 마리오가 죽은 뒤 섬을 찾은 네루다에게 전해진 녹음기에는 크고 작은 파도소리, 절벽에 부는 바람소리, 아버지의 서글픈 그물질소리, 성당의 종소리 등이 녹음되어 있었다.

귀양 온 선비의 억울한 사연에 감응해 붉은색으로 보름달이 떴다는 자월도紫月島, 그곳 한리포에서 태어난 김영언도 마리오처럼 파도소리를 들으며 시를 몸으로 체득한 듯하다. 1989년 경인지역 <교사문학> 동인지 1집 『그러나 백묵이여』에 「불신시대」와 「한리포 전설」 연작을 발표하며 작품 활동을 시작했는데, 즐겨 다루던 소재는 바로 고향 한리포의 이야기였다.

하지만 시인의 고향 한리포는 유년의 아름다운 기억보다는 벗어나야 할 속박의 그물이었다. "풀어도 풀어도 묶이는 / 그 세월의 매듭 / 바다"(「아버지의 바다」)에서 아버지는 자식들에게 가난과 고생을 대물림하지 않으려고 "너희들일랑은 아예 이담에라도 / 여기서 살 생각은 하지도 말라고 / 이 세상에서 젤 미련한 것들이 / 바로 나 같은 농사꾼들이라고" 떠나기를 종용했다. 해서 시인은 "깊은 어둠 속까지 뒤쫓던 그 말은 / 내 유년기의 밤마다 / 불안한 잠꼬대로 뒤척이게 했"(「이어지지 않는 땅」)다고 고백한다. 시인은 결코 유년의 고향에 안주할 수 없었다.

결국 "가물거리는 수평선 너머 먼 어디쯤에 있을 거라는 육지를 향해 아이들의 꿈은 날마다 물살을 거슬러 끝나지 않는 바다를 헤엄"치며 "나도 언젠가는 갈 수 있겠지 갈 수 있겠지"를 되뇌다가 "운 좋게도 헌신적인 부모님 덕에 섬에 없는 중학교 진학을 위해 여객선 은하호를 타고"(「나의 인천 상륙 작전」) 드디어 '인천 상륙 작전'을 감행하기에 이른다.

그러나 그토록 그리던 인천은 '꿈의 도시'가 아니었다. "보이지 않던 것들을 보기 시작하고 몰랐던 것들을 알게 되면서부터 자동차도 테레비도 모든 것들이 점차로 시들해지고 새로운 주둔지에 안착하는 일이 그리 호락호락하지만은 않다는 것도 알게 되었다"고 고백한다. 그런 점에서 시인의 자전적 내용이 담긴 「나의 인천 상륙 작전」은 인천 상륙기이자 정착기이기도 하지만 대도시의 정착이 호락호락하지는 않았다. 그래서 "수평선 너머에서 무지개처럼 아른거리던 유년의 꿈을 끝내 다 찾아내지 못한 채 점령지는 서서히 유형지처럼 황폐해져 갔다"고 한다. 대도시의 팍팍한 삶이 아련한 유년의 꿈을 퇴색시키려 했지만 그렇다고 시인은 꿈을 포기하고 주저앉지는 않았다.

> 어느덧 세월은 노을을 심상치 않게 자주 바라보는 때가
> 되었는데 얼마나 더 안락한 주둔지를 찾아 방황해야 하는지

> 아직도 진행 중인 미완의 상륙 작전은 지금도 유효한지 이제 다시 감행하려는 후퇴 작전은 그 뒤늦은 반역의 음모는 과연 성공할 수 있을는지 오래된 유년이 서성거리고 있는 저물녘 섬 기슭에는 아직도 대답 없는 물음이 진한 코피처럼 아롱지는 노을빛에 젖으며 찰싹찰싹거리고 있을 터인데…….
>
> ―「나의 인천 상륙 작전」, 부분

거기서 시인은 '반역의 음모'를 꾸미고 있었기 때문이다. "운명을 송두리째 걸다시피 한 상륙 작전을 감행한 덕분에" 도시에서의 삶이 조금 나아졌지만 그것이 무지갯빛 유년의 꿈은 아니었다. 해서 이제는 '반역'을 도모하려고 한다. 반역은 코피처럼 아롱지는 노을빛을 띤다.

왜 노을빛인가? 김영언의 시에서는 유난히 붉은빛 노을이 많이 등장한다. "코피를 절여놓은 듯 아롱지는 / 서해 깊은 노을 속에 자주 발목이 빠져"(「紫月島의 詩」)있거나, "홍시보다 더 붉게 익은 유년의 노을 속으로 / 무연히 날아가 버린 가을날"(「홍시」)이 있다. 붉은빛 달이 뜬다는 자월도의 노을은 유년의 기억을 소환하지만 어둠 속으로 사라지는 소멸이 아니라 오히려 그 찬란함으로 생의 가장 아름다운 순간을 빛나게 한다. 곧 일상에 대한 반역이다.

저녁 하늘을 아름답게 물들이며 소멸해가는 붉은 노을의 이미지는 시에서 가을날 산을 붉게 물들이는 '단풍'과도 연결된다. 그래서인지 이 시집에는 유난히 '단풍'이 많이 등장한다.

> 이 세상 마지막 단풍처럼 물들겠다고
> 그렇게 비장하게 지고 싶다고
> 찬비를 맞으며 바람 속을 걷던
> 그 먼 시절이 속절없이 져 내리는 날이다
>
> ―「단풍 질 때」, 부분

> 소지공양燒指供養하듯
> 마디마디 빛을 떨구며
> 첩첩산중 같은 마음속
> 답답한 어둠을 씻어주고 있었네
>
> ―「정암사 단풍나무」, 부분

> 우리도
> 두려움 없이
> 가장 아름다운 순간
> 마음을 내려놓을 수 있다면
> 지극한 사랑으로 타올라
> 눈부시게 생을 던지기 위해
> 오로지 이 길 걷는 것이라면

—「단풍」, 부분

단풍도 노을과 마찬가지로 생의 마지막 순간을 찬란하게 수놓으며 사라지는 것이기에 더욱 아름다울 수 있지만 시인은 단풍에 '소지공양'과 같은 비장한 삶의 결단을 대입한다. 해서 "이 세상 마지막 단풍처럼 물들겠다"거나 "지극한 사랑으로 타올라" 세상의 어둠을 몰아내기를, 그렇게 삶이 작열하기를 바란다. 만당晩唐의 시인 두목杜牧은 「산행山行」에서 "서리 맞은 단풍잎이 2월의 꽃보다 붉구나霜葉紅於二月花"라고 사라지기에 더 아름다운 소멸의 미학을 얘기했지만 시인은 그것을 치열한 삶으로 환치시킨다. "눈부시게 생을 던지"는 '혁명적 낭만주의'를 말하는 것이리라. 그래서 "물거품 같은 사랑을 위해 / 무모하게 목숨을 거는 그대를 / 차마 외면하지 못하고 바라보다가 // 내 생이 왜 아직도 / 산산이 부서지듯 줄곧 아픈지 / 뒤늦게나마 알게 되었다"(「절벽의 사랑」)고 고백하고, "바다에 닿아 온몸 흩어져버릴 때까지 / 온통 한 생을 울면서 흘러가게 될까봐 / 목숨을 통째로 걸고 / 그대를 기다리고 있는 것"(「얼음 폭포」)이라고 노래한다. 불꽃처럼 작렬하는 이 비장한 외침이 김영언 시의 문법이다.

### 농촌의 현실과 풍자

섬에서 태어나 대도시 인천을 전전하던 김영언은 드디어

강화도 마니산 근처에 안착했다. 강화도는 섬이라지만 육지와 대교로 연결되어 오히려 농촌의 모습을 많이 갖추고 있는 곳이다. 따라서 그는 이곳에 살면서 목격한 농촌의 실상을 시로 풍자하는 일련의 작업을 해왔다. 자신의 삶을 성찰하는 뜨거운(!) 시와 달리 도시 자본에 의한 농촌 해체와 공해, 농약 등의 오염 문제를 주로 다루고 있다. 그래서인지 비장한 어조의 결기에 찬 외침보다는 한 발짝 물러서서 농촌의 현실을 풍자적으로 바라보는 여유가 시에 나타난다.

남들처럼 드높이
공중에 매달리려는
위태로운 욕망을 내려놓고
땅 위를 낮고 평평하게 흐르더니
더 크고 둥글게 익혀 놓은
저 여유로움

―「호박」, 전문

이 늙은 호박이 아마 시인의 최근 모습이리라. 부평초처럼 대도시 인천을 전전하다 강화에 안착한 탓일까? 시인은 한결 여유를 가지고 자신의 주변을 따뜻한 시선으로 살피지만 도시의 침탈과 공해에 대해선 비판과 풍자의 칼날을 들이댄다. “포클레인 한 대가 / 육중한 팔을 휘저으며 / 섬을 수술하고 있다"고 한다. 이는 소위 도시인들을 위한 개발로 "섬의 수액을 빨아올려 / 조각난 삶을 접합하려는 / 도시인들의 휴식을 눕히기 위해"(「장화리를 위한 변명」)서라고 한다. 더욱이 농촌 개발붐은 부동산, 곧 땅값의 폭등으로 이어지며 농촌을 해체시킨다. 도시 자본의 농촌 침탈인 것이다. 그 실상을 시인은 「농촌 일으키기」에서 이렇게 신랄하게 풍자한다.

물꼬 보러 왔다가
녹슨 삽과 낫 내려놓고
논둑 다 깎지도 못하고
쑤시는 무릎 마디 굽은 등으로 쓰다듬으며
평균 연령 팔순의 들판에
망연스레 노인이 주저앉아 있다

그 곁으로 다가온 고급 승용차 한 대
흙먼지 혼탁하게 매달고 달려와
선명하게 희망을 매달고 간다

책임지고 거래 성사시켜 드림
믿을 수 있는 전원개발공인중개사
전답 파실 분 연락 바람 010-2019-8949

사실은 농촌을 일으켜 세우는 것이 아니라 흔적 없이 사라지게 만드는 것이 소위 부동산 개발이다. 땅을 경작해 소출을 거두지 않는다면 어찌 농촌이라 할 수 있겠는가! 그 과정에서 농사만 짓던 가난한 농부가 졸지에 부동산 부자(?)가 되는 웃지 못할 해프닝도 벌어진다. 형을 대학 보내기 위해 농잇소처럼 땅에 묶여 일만 하느라 늙도록 장가도 못 간 문산리 새마을 지도자 한답경 씨가 바로 그런 인물이다.

> 저녁마다 화도장터 골목 술집에서 울분을 토해내던 문산리 새마을 지도자 한답경 씨는 몇 해 전 광풍처럼 불어 닥친 개발바람 투기바람 휩쓸고 지나간 뒤 한가하게 잦아진 낮술이 거나해지면 이제 많이 배운 거 부러울 거 없다고 논밭 팔아 서울에서 대학까지 나오고도 겨우 쥐꼬리만 한 월급에 목매고 사는 우리 형이 한심하다고 주억거리며 팔자걸음으로 팔 휘저으며 흰소리를 친다.
>
> 이 땅 팔면 나도 부자여. 누가 뭐래도 이젠 땅 가진 놈이 최고여. 땅.
>
> —「땅」, 부분

부동산 광풍은 온 나라를 들쑤시고 20대 대선판을 뒤엎을 정도로 위력을 보여주지 않았던가! 그러니 서울과 가까운 강화야 오죽했으랴. 부동산 개발은 업자들에겐 엄청난 이익을 보장하지만 이는 곧 농촌의 해체로 이어지고 공해와 먹거리에 심각한 문제를 드러낸다.

강화의 이웃을 다룬 김영언의 시를 읽다 보면 '문산댁'이라는 흥미로운 인물들을 만난다. 시인이 사는 동네가 문산리文山里이니 그곳에 사는 동네 아주머니, 할머니들인 셈이다. 「다이옥신 피어오르는 봄날」에서는 잡풀 방지용 비닐을 태우며 다이옥신을 뿜어대지만 아랑곳하지 않고 "뭐든 타면 다 없어지고 재가 거름 되는 건데"라고 둘러대고, 「금고추 흙고추」에서는 식구들 먹는 것은 농약도 안 뿌리고 비닐하우스에서 별도로 재배한다며 "사람만 금수저 흙수저가 있는 게 아닐시다 / 기를 때부터 고추도 / 금고추 흙고추가 따로 있는 게 아니꺄?"라고 반문하기도 한다.

그런가 하면 「문산댁」에서는 억척스럽게 일을 해서 모든 걸 자식들에게 다 바치고 "그만하면 자식들한테도 할 일 다 했으니 / 이제 다 팔아치우고 고된 일 좀 그만하라고" 하지만 "오늘의 옛날도 그 옛날의 오늘도 / 침침한 새벽안개 속 더듬더듬 들길 나섰다가 / 마음 산란하게 등 떠미는 노을 설레설레 뿌리치며 / 기다리는 불빛도 없는 마당으로 홀로 돌아"오는 인물이 그려져 있다. 바로 농촌에 사는 우리 어머니들의 초상이다. 이런 어머니의 모습은 「어머니의 밭」으로 이어진다.

> 어머니의 밭이 좁아지고 있다
> 팔순 허리 구부러질수록
> 더더욱 맹렬하게 기승을 부리는
> 바랭이와 방동사니에게 해마다 두둑을 내어준다
> (중략)
> 평생 솎아내고 솎아내도 솟아나는
> 집 떠난 자식들 걱정같이 무성한 풀들에게
> 잡초보다 더 강인하게 지켜오던 세월이
> 뒷산 둥근 그림자에 잠기듯 무정하게 점령당하고 있다

평생 잡초와 씨름하며 밭을 맸지만 이제는 팔순의 나이에 기력이 딸려 잡초에 점령당하고 마는 어머니의 밭을 바라보는 시인의 심정은 허망하기 짝이 없다. 자신의 몸을 자식들에게 다 내주고 쭉정이만 남은 신세이지만 팔순의 나이에도 일을 그만두지 못하고 여전히 들로 나간다. 그러기에 "어머니를 평생 짓누른" 똬리처럼 "아직도 내려놓지 못한 똬리의 무게는/ 그 어디쯤까지일까"(「똬리」)라고 시인은 한숨짓는다. 이런 어머니의 희생을 어떻게 보상해야 할까?

그러니 이제 농촌은 희망이 없다고 한다. 일할 젊은이들은

도시로 다 나가고 노인들만 남아 자연적으로 소멸해 갈 운명을 맞고 있는 것이다. "아랫말 구순의 강 씨 노인이 / 기어이 생의 마지막 불을 껐"으며 이제 "머지않아 마을이 통째로 꺼지고 말 거라며 / 마지막 청년인 칠순의 이장이 / 허공을 바라보다가 눈시울을 훔치는"(「불 꺼진 萬壽里」) 곳이 바로 만 년이나 산다는 '만수리'다. 하지만 만 년은 고사하고 앞으로 몇 년도 못 넘길 운명이다. 씁쓸한 풍자다.

**이 땅의 아이들 그리고 아, '세월호'**

김영언은 남북관계가 민감한 서해 도서 지역에서 태어나고 살아서 그런지 유난히 분단 문제에 관심을 가지고 많은 시를 써왔다. 이 시집에서도 3부에 실린 「죄인」, 「교동도 제비집」, 「선언」, 「마당 무덤의 전설」, 「통일시 평화역」 등 5편이 모두 분단 문제를 다루고 있다. 그중 흥미로운 시는 「교동도 제비집」으로 황해도 연백평야에 살던 류씨가 "영문도 알 수 없는 전쟁통에 / 예성강 하구 드센 물살에 떠밀려 / 잠시 건넌 바다가 평생이었"다고 한다. 강화 교동도와 연백평야는 바다 건너 지척인데도 고향에 가지 못하고 "닿을 수 없는 그리움만 건네 보낸 지 / 어언 한평생"이었다. 그런데 고향에 갈 수 없는 류씨에게 오히려 '집'이 돌아온 것이다!

큰 원한도 다 풀렸을 긴 세월

행여나 아무리 기다려도
다시 돌아가 벼포기 꽂지 못하고
집으로 돌아갈 수 없는 류 씨에게
집이 오히려 돌아왔네

어머니같이 너른 갯벌 품 안 가득
오순도순 길러내던 삶 넘실대던 연백평야
곱고 찰진 고향을 한 모금씩 물고 와
처마 밑 우체통처럼 지은 집
눈시울 뜨거운 교동도 제비집

—「교동도 제비집」, 부분

평생 그리워하면서도 가지 못하는 고향의 흙을 오히려 제비가 물어와 집을 짓는다는 이 놀라운 발견! 그러기에 이 땅의 분단이 남북 민족 구성원들의 바람을 저버리고 이념과 정치적인 의도에서 고착화된 것이니 언젠가는 남북이 서로 소통할 수밖에 없음을 전망으로 제시하고 있다. 실제로 강화도에는 개성 인근에서 내려온 황해도 사람들이 많이 거주하고 있으며, 특히 연백평야와 지척인 교동도는 거의 황해도 방언을 사용할 정도로 황해도 실향민이 많다고 한다.

좋은 시는 없는 것을 새로 엮어서 만드는 것이 아니라 이처럼 우리가 미처 몰랐던 것을 들춰내고 찾아서 그것을 우리 앞에 보여주는 것이 아닐까? 「마당 무덤의 전설」 역시 시인이 폐가에서 찾아낸 보석 같은 이야기다. 난리통에 배 타고 나갔던 아들이 폭격으로 죽었는지 혹은 월북을 해서 살아 있는지 모르지만 살아 있다면 언젠가 나타날 거라며 따뜻한 밥 한 끼를 해 먹이기 위해 "남들의 눈을 피해 숨죽여 기다리고 기다리다가 / 죽어서도 차마 발길 떨어지지 않아 멀리 가지도 못하고 / 아예 대문 밖 마당가에 누워버린 할매"를 그리고 있다. 이 시는 스토리텔링이 살아 있는 '이야기 시'다. 마치 이용악李庸岳의 「낡은 집」처럼 폐가에 얽힌 사연을 들려주는데, 여기서는 자식을 기다리다 홀로 죽음을 맞이한 할머니를 통해 분단의 비극을 전해준다.

김영언은 인천교육대학교를 졸업하고 1985년부터 인천에 있는 송림초등학교를 시작으로 중학교, 고등학교를 두루 거치며 현재까지 무려 37년을(!) 교사로 근무하고 있다. 40년 가까이 '선생'만 한 셈이니 학교 현장이나 아이들에 대한 애정과 관심이 오죽하겠는가! 그런데 농촌이나 분단의 현실을 그리는 데는 날카로운 풍자의 칼날을 들이대고 때로 비장하기까지 한 시인의 시선은 학교 현장을 그리는 데서는 장난기 어린 아이들의 시선을 빌려온다. 학생들 역시 교육의 주체이기 때문이리라. 「약점」, 「수 싸움」, 「특기」 등을 보면 아이들의 눈을 통해 교육 현장의 모순을 그리기에 재치 있으면서도 발랄한 풍자가 돋보인다.

교과 공부 못한다고
기죽지 말고 특기를 살려라
사람은 다 자기가 타고난 것이 있다
잘하는 것을 해야 성공한다

세상살이 달관한 해결사처럼
자신만만 훈화하는 선생님
그러나 하나만 알고 둘은 모르시나

—「특기」, 부분

아이들에게 '특기'를 살려야 한다고 강조하는 선생님(사실은 국가 교육정책)에게 과연 우리 학생들이 '특기'가 있는지를 오히려 묻는다. 그리고 "남보다 특별히 잘하는 것 없는 / 평범한 인생들이 대부분이라는 걸 / 정녕 모르신단 말인가"라고 반문함으로써 그 풍자를 완성한다.

우리의 학교 현장은 수많은 교육정책의 실험장으로 무수한 시행착오를 반복했지만 변하지 않는 건 역시 명문대학, 인기 학과에 가기 위한 줄 세우기 교육이었고, 여기에 수반되는 과열 경쟁이었다. 내신이 어떻게 됐든, 수시가 어떻게 됐든, 본고사가 어떻게 됐든 본질은 변하지 않았다. 사회적인 가치관이 바뀌지 않는 한 의대나 명문대를 향한 상위권의 경쟁은 계속될 것이다. 해서 시인은 독 없는 순둥이 해파리들만 사는 팔라우의 바다를 동경한다. 「팔라우 해파리」에서 "오랫동안 포식자들과 격리되어 살다 보니 / 공격 기능의 촉수가 퇴화되고 / 적을 해치기 위한 독성이 저절로 소멸되어 버린 / 순둥이 해파리들"만 살고 있다고 하며 "적개심이라는 단어를 사전에서 퇴화시키고 / 투쟁이라는 긴장감을 삶에서 소멸시켜버리고 / 누구의 먹이가 되지 않을까 걱정 필요 없이 / 팔라우 해파리들처럼 살고 싶다"고 소망한다. 바로 우리의 교육 현장이 그렇게 남을 밟고 올라서는 경쟁이 아니라 행복한 공존의 장이 돼야 한다고 말하는 것이리라.

김영언의 시는 이 땅의 교육 현실에 대한 애정에서 교육운동과 시를 함께 나누었던 고 정세기 시인과 뜨거운 동지애로 만났다가, '세월호'의 아픔에서 다시 멈춘다. 무려 11편의 시를 4부로 배정해 세월호에 바치고 있다. 「다시, 세월호의 항해」에서 "세월호는 아직도 / 침몰한 게 아니었다 / 침몰한 건 정작 한반도였다"고 전제하고, "세월호의 침몰은 어쩌면 / 침몰한 한반도를 인양하기 위한 / 진정 목숨을 건 항해였다"고 한다. 우리는 알고 있다. 세월호의 희생 위에 촛불이 타올랐고 그래서 대한민국은 다시 정상으로 돌아오지 않았던가. 하지만 그 뒤에 이어졌던 배반의 세월은 어떠한가? 진상조차도 속 시원하게 밝혀진 게 없다. 그래서 세월호는 지금도 현재진행형이다. 그래서 시인도 "우리는 모두 / 새로운 항해를 시작한 세월호에 / 거룩한 슬픔으로 승선해야 한다"고 힘주어 말한다.

김영언은 석사논문 「해방기 한국 농민시 연구」(서강대 교육대학원, 1994)에서 이념의 표출이 가장 자유로웠던 해방기 농민시를 연구하면서 "인류의 삶을 왜곡시키는 부조리한 세계의 질서에 대한 끊임없는 실천적 문제 제기, 그 빛나는 시정신의 푸르름이야말로 본고를 통해 얻은 마지막 깨달음이었"다고 고백한다. 그렇다. 김영언의 시들은 바로 그런 자신의 삶과 현실의 부조리함에 대한 푸르른 시정신과 실천적 결단의 징표인 것이다. 그래서 더 아름답다.

마침 올해로 시인은 회갑回甲을 맞았다. 그러기에 이 세 번째 시집은 자신의 육십 평생을 기념하기 위해 시인의 정성스러운 언어로 꾸민 상차림인 셈이다. 해서 시집의 제목도 『나이테의 무게』라 하여 "속세의 가파른 자락에서 / 온몸 구석구석 두르고 섰는 / 아직도 단단하게 결구되지 못한 / 내 나이테의 무게를 꾸벅거린다"고 했다. 하지만 이미 지나온 치열한 삶의 옹이들이 육십의 나이테를 아름답게 결구結構하고 있음을 본다. 아, 푸르른 시정신이여, 강건하시길!

나이테의 무게

초판 1쇄 발행 2022년 5월 9일

지은이 김영언
펴낸이 조기조

펴낸곳 도서출판 b
등 록 2003년 2월 24일 (제2006-000054호)
주 소 08772 서울시 관악구 난곡로 288 남진빌딩 302호
전 화 02-6293-7070(대) 팩시밀리 02-6293-8080
누리집 b-book.co.kr 전자우편 bbooks@naver.com

ISBN 979-11-89898-73-1 03810
값 10,000원